P9-DBR-351

D.L. B-28.062-2005
Imprimé en Espagne

Boucle d'Or

et les Trois Ours

Illustré par Graham Percy

PERALT MONTAGUT EDITIONS

Il était une fois trois ours qui habitaient une petite maison au cœur de la forêt.

Il y avait Bébé Ours,

Maman Ourse

et Papa Ours.

Dans la cuisine
chacun avait un bol à sa taille:

un petit bol pour Bébé Ours,
un bol moyen pour Maman Ourse
et un très grand bol pour Papa Ours.

Au salon chacun avait
un siège à sa taille:

une petite chaise pour Bébé Ours,

un fauteuil de taille
moyenne pour
Maman Ourse

et une très grande chaise
pour Papa Ours.

Et dans la chambre
chacun avait un lit à sa taille:

un petit lit pour Bébé Ours,

un lit de taille moyenne
pour Maman Ourse

et un très grand lit
pour Papa Ours.

Un matin, quand la bouillie du petit déjeuner fut prête, Maman Ourse en emplit les trois bols.

Comme la bouillie était trop chaude, les trois ours décidèrent d'aller faire un tour dans le bois en attendant qu'elle refroidisse.

Pendant qu'ils se promenaient,
une petite fille appelée Boucle d'Or
passa par là. Dès qu'elle aperçut
la petite maison, elle alla
vers la porte d'entrée

et regarda
à travers la vitre.

«Je me demande qui peut habiter cette mignonne petite maison», se dit Boucle d'Or. Elle tourna le bouton de la porte et celle-ci s'ouvrit. Boucle d'Or entra sur la pointe des pieds.

Dans la cuisine, Boucle d'Or vit les bols de bouillie sur la table. Comme elle avait faim, elle décida d'en manger un peu.

D'abord, elle prit une cuillerée
dans le très grand bol,
mais c'était trop chaud.

Ensuite, elle prit une cuillerée
dans le bol moyen, mais c'était trop froid.

Enfin, elle prit une cuillerée dans le petit bol,
et c'était juste bien!

En un instant,
Boucle d'Or avala toute la bouillie du petit bol!

Après avoir mangé tant de bouillie,
Boucle d'Or eut envie de s'asseoir.
Elle alla dans le salon et
trouva les trois sièges.

D'abord, elle voulut grimper
sur la très grande chaise, mais elle était trop haute.

Ensuite, elle
essaya le siège
de taille moyenne,
mais il était trop mou.

Elle alla donc s'asseoir sur
la petite chaise, mais
-CRAC!-

La petite chaise s'écroula!
«Oh!» dit Boucle d'Or,
«Je crois que je ferais mieux de monter me coucher.»

Boucle d'Or monta, entra dans la chambre et
vit le très grand lit.
«Il a l'air confortable!» s'écria-t-elle.
Mais le très grand lit penchait vers la fenêtre.
C'était étrange…

Boucle d’Or essaya donc
le lit de taille moyenne,
mais il penchait
vers la porte.

Alors, elle essaya le petit lit, et il
était juste bien. Il était
même si confortable
qu’elle s’y endormit
immédiatement.

Quelques minutes plus tard, les trois ours rentrèrent de leur promenade dans les bois. Ils avaient grand faim. Papa Ours regarda son très grand bol et dit de sa très grosse voix:

«QUELQU'UN A GOÛTÉ MA BOUILLIE!»

Ensuite, Maman Ourse regarda son bol et dit
de sa voix moyenne:
«QUELQU'UN A GOÛTÉ MA BOUILLIE!»

Alors Bébé Ours cria de sa petite voix pointue:
«Quelqu'un a goûté ma bouillie
et l'a toute mangée!»

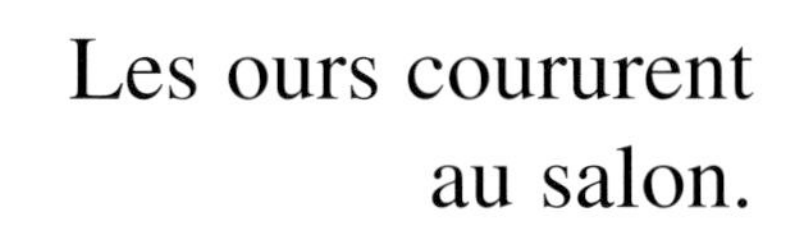

Les ours coururent
au salon.

Papa Ours vit sa chaise et
gronda de sa très grosse voix:
«QUELQU'UN S'EST ASSIS
SUR MA CHAISE!»

Maman Ourse vit
son siège et dit de
sa voix moyenne:
«QUELQU'UN S'EST
ASSIS SUR MON SIÈGE!»

Bébé Ours retrouva sa chaise
et cria de sa petite voix pointue:
*«Quelqu'un s'est assis sur ma chaise
et l'a cassée!»*

«Vite, montons voir là-haut!»
dit Papa Ours.

«QUELQU’UN S’EST COUCHÉ DANS MON LIT!»
grogna Papa Ours de sa très gosse voix.

Et Maman Ourse en voyant son lit cria de sa voix moyenne:
«QUELQU'UN S'EST COUCHÉ DANS MON LIT!»

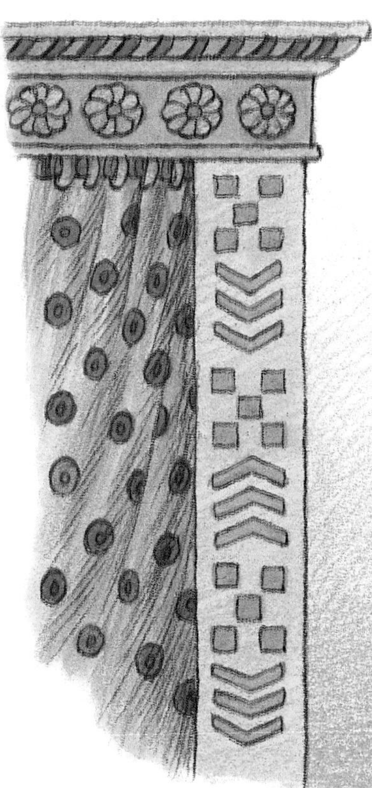

Et Bébé Ours vit son lit et cria de sa petite voix pointue:
«Quelqu'un s'est couché dans mon lit…
et elle y est encore!»

La petite voix de Bébé Ours réveilla Boucle d'Or.
Quand elle vit les trois ours, elle
sauta du lit, dévala les escaliers,
s'enfuit de la maison,
courut dans les
bois et rentra
bien vite
chez elle.

Maman Ourse refit de la bouillie.
Papa Ours répara la petite chaise.
Bébé Ours regarda par la fenêtre.
Il regrettait que la petite fille
ne soit pas restée
jouer avec lui!